DARIUS

ALTER EGO

« Tu aimeras ton prochain
comme toi-même. »

Vayiqra 19,18

LOS ANGELES, USA.

VROOOOOOAARRR

SCRRiiiii

EXIT 22A
NORTH 110
Pasadena
Hollywood
110 SOUTH
EXIT 38
San Pedro
ONLY

VROOOOOOM
CRRIiiii
TUUT!
SSCREEEEEEEEE
VROOOAAM
CRASH!!
VROOOOAAAAM

TUUT!
VRRRKK
TUUT!

VRRRRR

VROOOOO

TU LE VOIS ?

ALORS ? TU LE VOIS OU PAS ? SUFFIT QUE TU ARTICULES UN OUI OU UN NON !
C'EST BON, JE... !

PEDESTRIAN ENTRANCE
LÀ ! IL TOURNE AU COIN !
VU !

Pantry Cafe
5UMK686

CRRRR

IL A DÉJANTÉ !
ON LE TIENT...

VRRRRRRR

CRASH!
PUTAIN !

MERDE, LÀ !
L'ENFOIRÉ !

LÂCHE ÇA !

T'ES CUIT, DE TOUTES LES MANIÈRES...

T'AS CHOISI UN BEL ENDROIT POUR MOURIR, BRAM. LE SOLEIL COUCHANT, UNE BELLE VUE SUR DOWNTOWN. TU VAS PARTIR EN BEAUTÉ, J'SUIS CONTENT POUR TOI...

TU SAIS QUOI? TU VAS SAUTER DANS LE VIDE. ÇA M'ÉVITERA DE...

À QUOI ON JOUE, ICI, LES GARS ?
?!

RANGEZ-MOI TOUT ÇA, SE VOUS PRIE, VOUS ÊTES DANS UNE PROPRIÉTÉ PRIVÉE.

T'OCCUPE PAS DE ÇA, L'AMI, C'EST COMME QUI DIRAIT UNE AFFAIRE DE FAMILLE.
ALORS, ALLEZ LAVER VOTRE LINGE SALE AILLEURS QU'ICI.

DOUCEMENT, DOUCEMENT... NOUS, TOUT CE QUI NOUS INTÉRESSE, C'EST BRAM. ET PEU IMPORTE OÙ ON LE MASSACRE DU MOMENT QU'ON LE MASSACRE, PAS VRAI ?

TU VOIS PAS QU'ON EST ARMÉ ?
QU'EST-CE QUI TE FAIT CROIRE QUE JE NE LE SUIS PAS ?

POURQUOI ? QU'EST-CE QU'IL VOUS A FAIT ?
L'A PAS L'AIR BIEN DANGEREUX, CE GRINGALET...

IL A TUÉ NOTRE SOEUR !
IL LUI A FOURGUÉ DE LA DROGUE DE MERDE, IL L'A VIOLÉE... ELLE AVAIT JUSTE QUINZE ANS...
QUOI ?!

C'EST CE GENRE DE PUTAIN DE CONNARD ?!

TU ES CE GENRE DE MERDEUX ?
RÉPONDS, BORDEL !
N-NON ... JE ...

PUNCH !

J'AVAIS UN FILS ...

C'EST UN TYPE DANS TON GENRE QUI L'A TUÉ !

UN TROU DU CUL DE DEALER DE MERDE ! J'AI JAMAIS PU METTRE LA MAIN DESSUS ! MAIS J'AI PROMIS SUR LA TOMBE DE MON GAMIN QUE JE LE VENGERAIS !

DITES, LES GARS ...

LES FLICS VONT PAS TARDER À SE POINTER...
ÇA VOUS FERAIT DES SUEURS SI JE M'OCCUPAIS MOI-MÊME DE CE MERDEUX ?

C'EST-À-DIRE...
ON VOULAIT ...
ÇA FAIT DES ANNÉES QUE J'ATTENDAIS UN MOMENT COMME CELUI-CI...

TOUTES CES NUITS À GARDER DES BÂTIMENTS VIDES... À ERRER COMME UNE ÂME EN PEINE... SANS JAMAIS TROUVER LE SOMMEIL...
FAITES-MOI PLAISIR.

VOUS ME LAISSEZ SEUL AVEC LUI, JE LUI FAIS SON AFFAIRE, VOTRE SOEUR EST VENGÉE ET MOI, JE RETROUVE ENFIN LE SOMMEIL.

JE M'ARRANGERAI AVEC LES FLICS; À L'INTÉRIEUR DE CE BÂTIMENT, JE SUIS EN LÉGITIME DÉFENSE...

D'ACCORD, VIEUX. ON FAIT COMME TU DIS.

CRÈVE, BRAM !
THEU !

PAW !
PAW !

JUSTICE EST FAITE.
5UMK686

PUTAIN, DARIUS, J'AI CRU UN INSTANT QUE TU ALLAIS VRAIMENT ME FLINGUER !

MOI AUSSI.

VIENS.

WIII WIII WIII WIII WIII WIII WIII
DÉPÊCHE ! ... LES FLICS SONT DÉJÀ LÀ...

DARIUS ...

COMMENT T'AS FAIT POUR ÊTRE LÀ AU BON MOMENT ?
JE PASSAIS PAR LÀ, J'AI VU L'ACCIDENT ...
PUTAIN DE COÏNCIDENCE, HEIN? TU ME SURVEILLES OU QUOI?

POURQUOI TU TE SENS TOUJOURS OBLIGÉ D'INTERVENIR ?

T'ES PAS MON PÈRE ! NI MON TUTEUR OU UNE CONNERIE DU GENRE...! T'ES QUE MON PUTAIN D'VOISIN D'PALIER!

QU'EST-CE T'EN AS À FOUTRE DE MOI ?

TU AS ENTENDU CE QUE J'AI DIT TOUT À L'HEURE, À PROPOS DE MON FILS...?
OUAIS... MAIS C'ÉTAIT DES SALADES POUR NIQUER LES DUKAKIS...!

NON.

J'AVAIS UN FILS... QUE JE N'AI PAS PU PROTÉGER.
ALORS TU TE RATTRAPES AVEC MOI...
ET TU ES TELLEMENT ABRUTI QUE C'EST DEVENU UN JOB À PLEIN TEMPS !

TU VAS M'INSULTER ENCORE LONGTEMPS ?
TANT QUE JE TE SAUVE LA MISE.

MAINTENANT QUE LES DUKAKIS TE CROIENT HORS CIRCUIT, T'AS INTÉRÊT À TE CALMER SÉRIEUSEMENT.
PARCE QUE J'AI MES LIMITES, MOI AUSSI.

IL SERAIT PEUT-ÊTRE TEMPS DE PENSER À FAIRE QUELQUE CHOSE DE TA VIE.
POUR ÇA, T'INQUIÈTE... JE SAIS EXACTEMENT CE QUE JE VEUX...

... ME MARRER.

VLAM!
WELCOME

DEUX ANS PLUS TÔT, LONDRES.

Assoupissement
Dans la nuit de dimanche 10 à lundi 11
novembre, une Morgan immatriculée à
Londres a quitté la A3 pour s'encastrer
contre un poteau peu après la sortie de
Guildford. Tout laisse à penser que le
conducteur, un chef de police, s'est
assoupi au volant et a perdu le contrôle
de son véhicule. Malgré la violence
crash, il s'en tire avec de légères
mais les deux passagers, sa
fils de 12 ans, sont décédés,
tuée sur le coup et l'autre
au Nuffield Health

fatal.
orts.
forme d'alimentation était une
taux était déjà très inférieur d
ministre du budget doit
un plan de 150 mesu
finances publique
de l'alimentatio
forme d'alim
taux étai
mini
le
, s'est
contrôle
son véhicule. Malgré la violence du
crash, il s'en tire avec de légères contusio
deux passagers, sa femme et
la pre

De gros
piste
ne
fa
le
ne
reur
quer",
ame-t-il.
repêchées
ptembre, la
e chargée des
l'assistance du
tes et d'analyses,
cé que les données
ables. Mais depuis,
"J'ai l'impression que
mes sont mortes dans

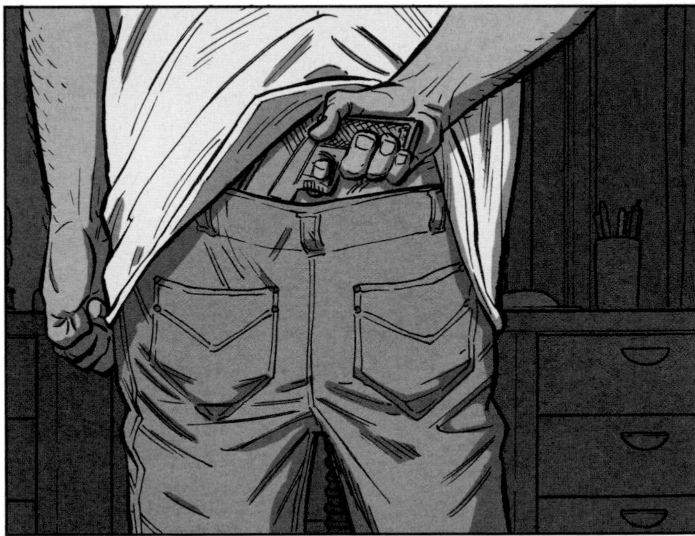

N°52

ÇA C'EST DINGUE !

J'AI DÉJÀ VU DES ANNONCES DÉBILES, MAIS CELLE-CI... TU SAIS CE QU'ILS CHERCHENT ? DES ANGES GARDIENS !
T'AS ENVIE DE DEVENIR UN ANGE GARDIEN, TOI ??

TU CROIS QU'ILS FOURNISSENT LES PETITES AILES AVEC LE ... HÉ !?...
DONNE.

WINGUARD
PRIVATE AND COLLECTIVE SECURITY

... AU TERME DES TESTS MÉDICAUX ET ÉPREUVES DE PRÉSÉLECTION, VOUS ÊTES DONC ADMISSIBLES À LA PHASE FINALE DU RECRUTEMENT. FÉLICITATIONS!

NOUS ALLONS À PRÉSENT VOUS EXPOSER LA NATURE EXACTE DU JOB. APRÈS L'EXPOSÉ, VOUS POURREZ TOUJOURS DÉCLINER L'OFFRE. MAIS POUR Y ASSISTER...

... VOUS ÊTES TENUS DE SIGNER UNE CLAUSE DE CONFIDENTIALITÉ QUI VOUS ENGAGE SUR L'HONNEUR À GARDER LE SECRET ABSOLU SUR CE QUE VOUS ALLEZ ENTENDRE.

AU TERME DE L'EXPOSÉ, VOUS N'AUREZ AUCUN DOUTE SUR NOTRE CAPACITÉ À VÉRIFIER SI VOTRE SERMENT EST RESPECTÉ...

SI CECI POSE PROBLÈME À QUELQU'UN, QU'IL S'EN AILLE MAINTENANT. LES AUTRES PEUVENT S'APPROCHER POUR SIGNER LE DOCUMENT.

... LE PROCESSUS SE DÉROULE EN TROIS TEMPS...
CONTACT
OBSERVE
PROTECT

PHASE 1 : ENTRER DISCRÈTEMENT DANS SA VIE; S'ARRANGER POUR DEVENIR UN AMI, UN PROCHE, UN VOISIN SERVIABLE...

PHASE 2 : À PARTIR DE CETTE POSITION, OBSERVER SON MODE DE VIE ET RÉDIGER UN RAPPORT POUR NOTRE BUREAU CENTRAL...
OBSE

PHASE 3 : SELON L'ANALYSE ET LES DIRECTIVES DU BUREAU CENTRAL, AMÉLIORER SES CONDITIONS DE VIE...
LE PLUS SOUVENT EN LUI OFFRANT UNE OPPORTUNITÉ D'EMPLOI STABLE ET BIEN RÉMUNÉRÉ, AVEC COUVERTURE SOCIALE, ASSURANCE MALADIE, ETC.

TOUT AU LONG DES TROIS PHASES, LA CONSIGNE PRIMORDIALE RESTE DE LIMITER AU MAXIMUM LES RISQUES POUR LA SANTÉ DU 'PROTÉGÉ'...

...LES MEILLEURS MOYENS TECHNOLOGIQUES VOUS SONT FOURNIS POUR OPÉRER UNE SURVEILLANCE ET UNE PROTECTION AUSSI DISCRÈTES QUE PERMANENTES.
D'OÙ LA DÉNOMINATION D'ANGE GARDIEN.

NOS PROTÉGÉS PEUVENT AVOIR TOUS LES PROFILS, DU NOURRISSON AU CENTENAIRE, DE LA FEMME D'AFFAIRES DE SEATTLE À L'INDIEN D'AMAZONIE. IL Y EN A POUR TOUS LES GOÛTS...

MAIS JE LE RÉPÈTE : CE 'MATERNAGE' SE RÉALISE À L'INSU DU PROTÉGÉ, DANS UN SECRET ABSOLU.
DES QUESTIONS...?

...NON, MONSIEUR SATRAPI. NOUS NE RÉPONDRONS À AUCUNE QUESTION SUR LES MOTIFS QUI AMÈNENT LA WINGUARD À PROTÉGER TELLE OU TELLE PERSONNE.
PRIVATE AND COLLECT

EN CONTREPARTIE, LA FIRME S'ENGAGE À NE RIEN VOUS DEMANDER D'ILLÉGAL ET À ASSURER VOTRE DÉFENSE EN CAS DE PROBLÈME JUDICIAIRE.

COMME DANS LA BIBLE, IL EXISTE CHEZ NOUS UNE HIÉRARCHIE DES ANGES, QUI CORRESPOND À DES NIVEAUX DE COMPLEXITÉ DANS LE TYPE DE SURVEILLANCE À ASSURER.
EN HAUT, ON TROUVE LES ARCHANGES, CHARGÉS À TEMPS PLEIN DE LA GARDE D'UN OU PLUSIEURS PROTÉGÉS...

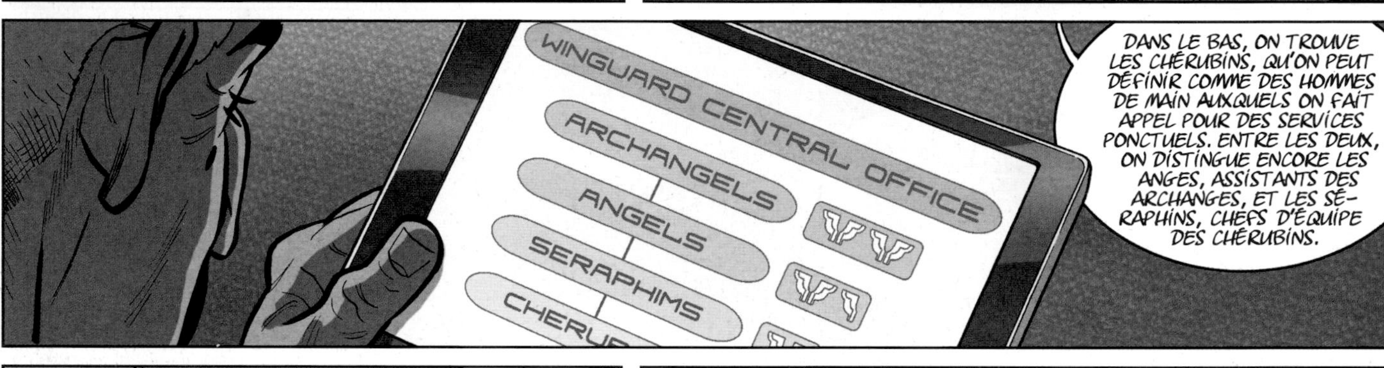
WINGUARD CENTRAL OFFICE
ARCHANGELS
ANGELS
SERAPHIMS
DANS LE BAS, ON TROUVE LES CHÉRUBINS, QU'ON PEUT DÉFINIR COMME DES HOMMES DE MAIN AUXQUELS ON FAIT APPEL POUR DES SERVICES PONCTUELS. ENTRE LES DEUX, ON DISTINGUE ENCORE LES ANGES, ASSISTANTS DES ARCHANGES, ET LES SÉRAPHINS, CHEFS D'ÉQUIPE DES CHÉRUBINS.

EN CE QUI VOUS CONCERNE, ON M'INFORME QUE VOUS ÊTES RECEVABLE EN CATÉGORIE 3, SÉRAPHIN OU CHÉRUBIN.

AH BON?
JE COMPRENDS VOTRE DÉCEPTION. VOUS PRÉSENTEZ UN PROFIL IDÉAL : ANCIEN POLICIER, BONS ÉTATS DE SERVICE ET EXCELLENTS RÉSULTATS AUX TESTS: OBSERVATION, RÉACTION, IMPROVISATION, SIMULATION ....

HÉLAS, LA DÉCISION N'EST PAS DE NOTRE RESSORT.
L'ORIENTATION DES RECRUES EST FONCTION DE CRITÈRES INTERNES QUI NE SONT PAS TOUJOURS EN RAPPORT AVEC LES COMPÉTENCES, MAIS QUE LA FIRME NE SOUHAITE NI JUSTIFIER, NI DISCUTER.
EN CLAIR: C'EST ÇA OU RIEN.

C'EST BON. J'ACCEPTE...

PRIVATE AND COLLECTIVE SECURITY

MONSIEUR SATRAPI?

MON NOM EST SUZANNE ROCHANT. PUIS-JE VOUS PARLER DEUX MINUTES?

JE SUIS LIÉE À LA FIRME WINGUARD. J'AI ASSISTÉ À VOS TESTS DE SÉLECTION.
JE NE VOUS AI PAS REMARQUÉE.

JE VOUS AI OBSERVÉ À DISTANCE, SUR ÉCRAN...
ET ...?
JE VOUDRAIS QUE VOUS REFUSIEZ LE JOB QUE VOUS VENEZ DE DÉCROCHER.

AH, LÀ, VOUS ME PRENEZ PAR LES SENTIMENTS...

J'AI EU ACCÈS À VOTRE DOSSIER. JE CONNAIS VOS PÉCHÉS MIGNONS.
L'ADDICTION AUX CRÈMES GLACÉES EN EST UN QUE JE PARTAGE AVEC VOUS...

VOUS VOULEZ ME PROPOSER DE TENIR UN SALON DE THÉ, C'EST ÇA?
NE ME TENTEZ PAS. IL Y A DES JOURS OÙ J'AIMERAIS TELLEMENT ÊTRE À LA TÊTE D'UNE CHAÎNE DE SALONS DE THÉ ...
BLENGINO'S
Italian
Restaurant

NON, JE SOUHAITE VOUS ENGAGER EXACTEMENT POUR LE MÊME TYPE DE TRAVAIL QUE LA WINGUARD, MAIS À TITRE PERSONNEL, SANS PASSER PAR LEUR STRUCTURE.

VOUS N'AURIEZ DE COMPTES À RENDRE QU'À MOI.
JE VOUS PROPOSE UN POSTE D'ARCHANGE AUTONOME, AVEC LE SALAIRE DE LA FONCTION, ÉVIDEMMENT.

...DOUBLÉ DANS LA MESURE OÙ JE VOUS DEMANDERAIS DE PRENDRE EN CHARGE DEUX CLIENTS.

PROPOSITION ALLÉCHANTE ...MAIS...
MMH...
POURQUOI MOI?

DARIUS...
VOUS PERMETTEZ QUE JE VOUS APPELLE DARIUS?
JE VOUS EN PRIE ...

DARIUS, VOUS CONNAISSEZ LA RÈGLE DE LA WINGUARD: NE PAS POSER DE QUESTIONS.
JE VOUS PRIE DE M'EXCUSER, MADAME.

DISONS QUE JE TROUVE DOMMAGE DE GASPILLER VOTRE POTENTIEL DANS DES FONCTIONS SUBALTERNES.
MERCI, MADAME...

ALORS, INTÉRESSÉ?

OUI, MADAME.

VOUS NE SOUHAITEZ PAS SAVOIR QUI SERONT VOS CLIENTS?
JE NE VOUDRAIS PAS ÊTRE SURPRIS DEUX FOIS À POSER DES QUESTIONS, MADAME ...

LAISSEZ-MOI VOUS LES PRÉSENTER.

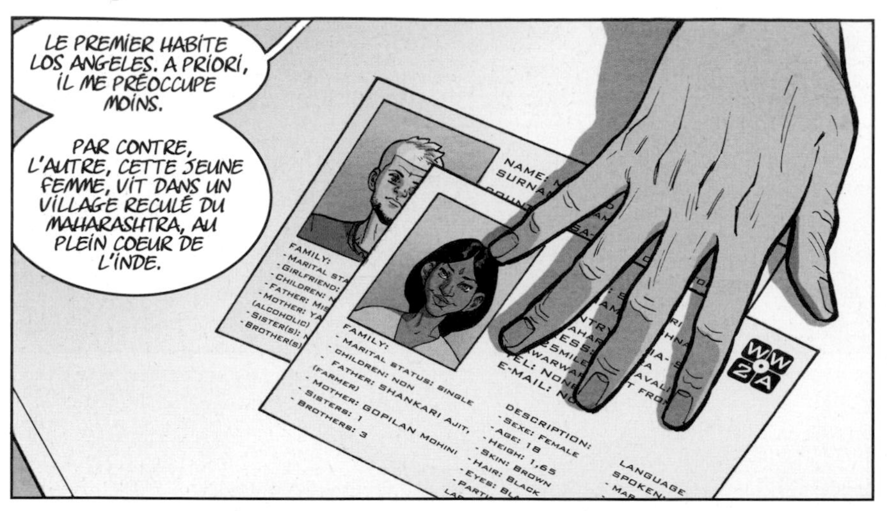
LE PREMIER HABITE LOS ANGELES. A PRIORI, IL ME PRÉOCCUPE MOINS.
PAR CONTRE, L'AUTRE, CETTE JEUNE FEMME, VIT DANS UN VILLAGE RECULÉ DU MAHARASHTRA, AU PLEIN COEUR DE L'INDE.

JE SOUHAITERAIS DONC QUE VOUS VOUS EN OCCUPIEZ EN PRIORITÉ...

...UNE GRANDE SÉCHERESSE Y SÉVIT EN CE MOMENT. LA VIE LÀ-BAS EST TRÈS PRÉCAIRE.

VOUS VOUS RENDREZ DANS CE VILLAGE EN VOUS FAISANT PASSER POUR UN MÉDECIN DE L'ONG "WORLD WAR TO AIDS". JE VOUS PROCURERAI TOUTES LES ATTESTATIONS.

VOUS FEINDREZ DE TOMBER EN PANNE DANS CE VILLAGE ET VOUS VOUS ARRANGEREZ POUR ENTRER EN RELATION AVEC LA FAMILLE SHANKARI.

VOUS SYMPATHISEREZ AVEC YASHNA ET, AU MOMENT DE PARTIR...

MERCI MILLE FOIS POUR VOTRE ACCUEIL... DITES-MOI, JE SUIS CHARGÉ DE RECRUTER UNE EMPLOYÉE POUR NOTRE BUREAU DE BOMBAY ET JE ME DISAIS QUE VOTRE FILLE POURRAIT CONVENIR POUR LE POSTE.

LE CAS ÉCHÉANT, VOUS DÉDOMMAGEREZ LA FAMILLE ET LUI EXPLIQUEREZ QU'AVEC LE SALAIRE QUE GAGNERA LEUR FILLE, ELLE POURRA LES AIDER SUBSTANTIELLEMENT TOUS LES MOIS.

HILTON

TOC
TOC

YASHNA..?
UN PROBLÈME?

...NON... JE... JE SUIS À VOUS, MONSIEUR.
?!?
MES PARENTS M'ONT EXPLIQUÉ QUE...

OH NON...! QU'AVEZ-VOUS ÉTÉ IMAGINER, BON SANG?
C'EST... C'EST UN MALENTENDU. IL NE S'AGIT PAS DU TOUT DE... RETOURNEZ VOUS COUCHER, YASHNA.

VOUS LA RAMÈNEREZ À BOMBAY, LUI TROUVEREZ UN LOGEMENT CONFORTABLE ET L'AIDEREZ À S'ADAPTER À SON NOUVEL EMPLOI.

POUR SA FORMATION, TOUT EST ARRANGÉ AVEC LES RESPONSABLES DE L'ONG.

LORSQUE NOUS JUGERONS QUE SON NIVEAU DE BIEN-ÊTRE SERA SATISFAISANT, NOUS...
?!
VRR
VRR
TIDIL

OUI, SUZANNE ...
CHANGEMENT DE PROGRAMME, DARIUS. DITES AU REVOIR À YASHNA. VOUS FONCEZ À LOS ANGELES. IL SEMBLE QUE L'URGENCE SOIT LÀ-BAS.

C'EST ICI, M'SIEUR?
OUAIP. DEUXIÈME ÉTAGE.

ALORS, ON FAIT FONDRE SA GRAISSE, PAPY?

'Z ÊTES LE NOUVEAU LOCATAIRE?
BONJOUR ...

OUI...
VOUS PERMETTEZ ? LE TEMPS DE POSER CECI ...

JE M'APPELLE DARIUS, DARIUS PANAHI ...
C'EST QUOI POUR UN BLAZE, ÇA? ITALIEN? ROUMAIN?

IRANIEN ...
HOU LÀ ! L'AXE DU MAL, CARRÉMENT !

BRAM, NE SOIS PAS DÉPLAISANT ... !
BONJOUR, MONSIEUR ...
T'AS RAISON, MA BICHE, LES TERRORISTES, IL VAUT MIEUX LES AVOIR DANS SON CAMP! HA, HA, HA!

VOUS FAITES QUOI DANS LA VIE? INGÉNIEUR NUCLÉAIRE? PILOTE DE LIGNE?
HA, HA!
BRAM!

ÉLECTRICIEN.
WHAA, C'EST TOP, ÇA! VACHEMENT PRATIQUE! ON A JUSTEMENT UN PROBLÈME AVEC LE MICRO-ONDES. VOUS ALLEZ POUVOIR NOUS ARRANGER ÇA...?

MAIS AVEC PLAISIR ...

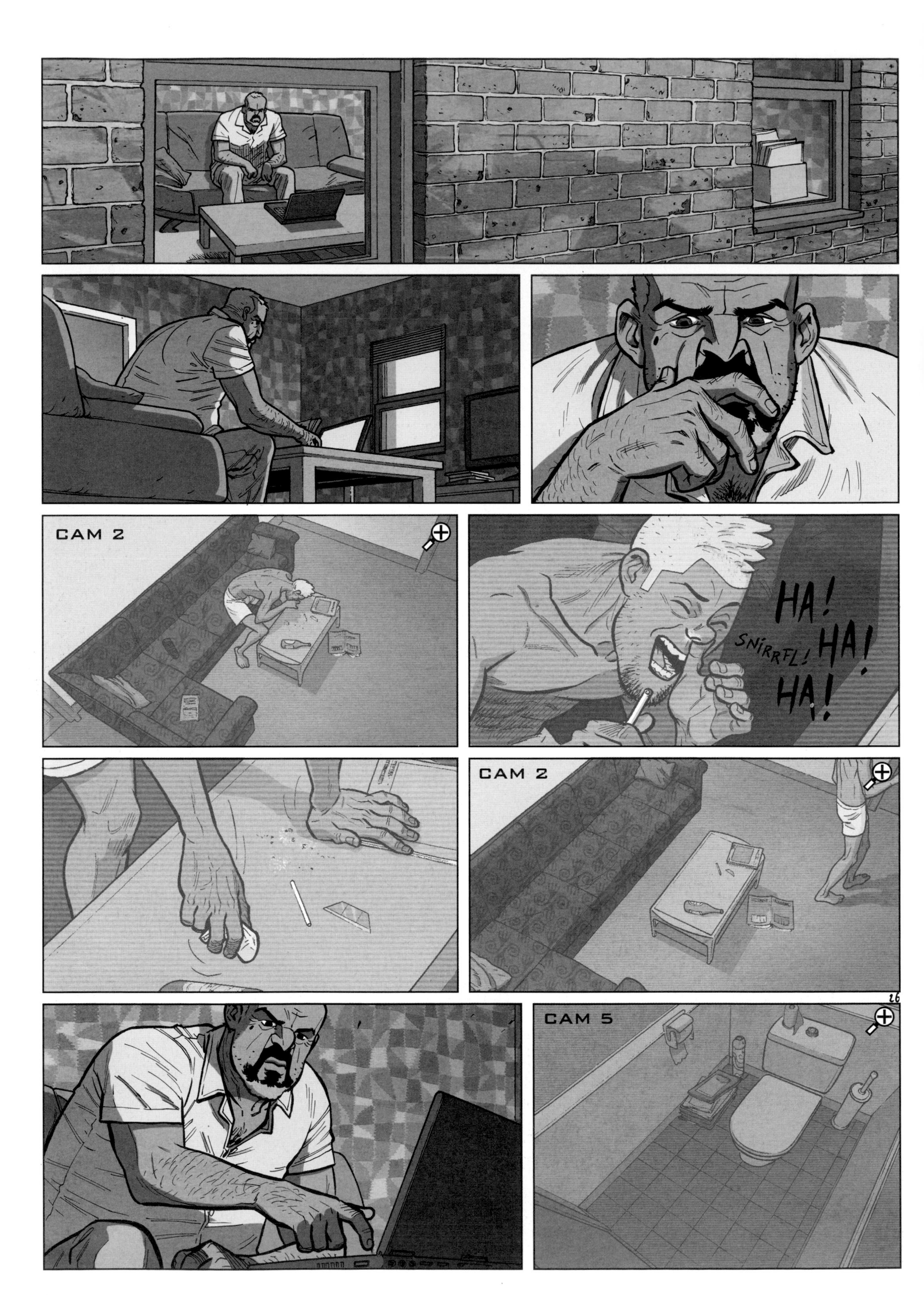
CAM 2
HA! HA! HA!
SNIRRFL!
CAM 2
26
CAM 5

F3
F4
4
E
R

AM 3

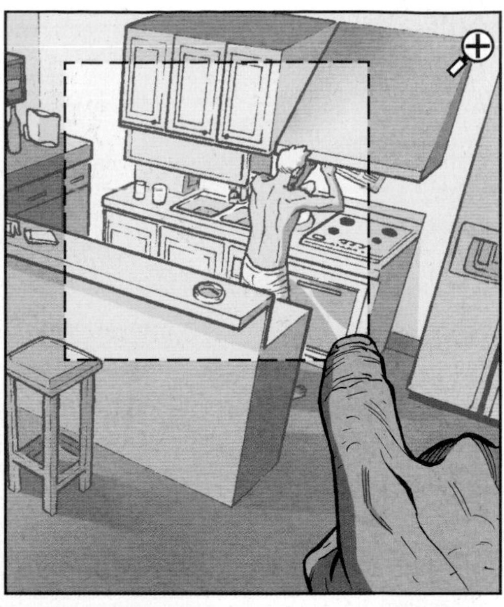

BINGO...

TOC
TOC

OH, MONSIEUR PANAHI...
EXCUSEZ-MOI, JE VOULAIS VOUS INVITER CHEZ MOI, J'AI FAIT DU KHORESHT À L'AUBERGINE MAIS J'EN AI BEAUCOUP TROP. ÇA VOUS DIT ?

OH OUI, VOLONTIERS! ON MEURT DE FAIM!
HEIN, BRAM?

EUH, BEN... OUAIS, ÇA SENT VACHEMENT BON ET C'EST VRAI QUE J'AI LA DALLE!
VENEZ, ALORS, BIENVENUE!

... C'EST DÉLICIEUX. VOUS CUISINEZ COMME UN CHEF, MONSIEUR PANAHI. ET VOUS ÊTES SI AIMABLE DE NOUS INVITER SI SOUVENT.
ÇA ME FAIT PLAISIR. JE N'AIME PAS MANGER TOUT SEUL, DEPUIS...
...DEPUIS QUOI?

EUH... JE VOUS PRIE DE M'EXCUSER DEUX MINUTES. JE REVIENS.
BIEN SÛR...

QU'EST-CE QU'IL A?
TU AS OUBLIÉ CE QU'IL NOUS A RACONTÉ? SA FEMME? SI TU T'INTÉRESSAIS UN PEU AUX AUTRES...!

IL EST SI GENTIL, SI ATTENTIONNÉ. ET TOI: "DEPUIS QUOI?" PLAF, LES PIEDS DANS LE PLAT...
OH, ÇA VA...!

28

... ET HOP: DISPARI... !?!

OH, SHIT...

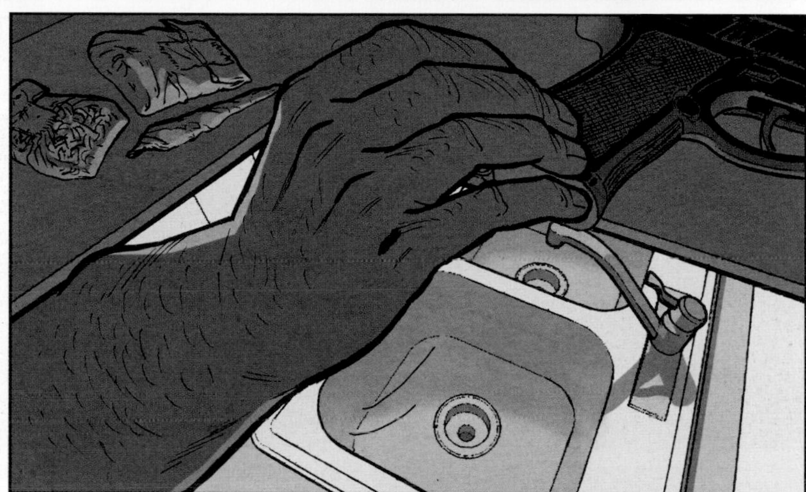

QU'EST-CE QU'IL FOUT ...?
IL EST BOULEVERSÉ, TIENS! TOI, ALORS...! LAISSE-LUI LE TEMPS DE REPRENDRE SES ESPRITS.

VOILÀ, JE SUIS À VOUS ...
PARDONNEZ-MOI ENCORE. J'AVAIS BESOIN DE ME RAFRAÎCHIR.

... OUAIP, ÉLECTRICIEN, C'ÉTAIT UNE TRÈS BONNE IDÉE DE COUVERTURE.
À LA FAVEUR DE DEUX OU TROIS INTERVENTIONS BÉNÉVOLES CHEZ LUI, J'AI PU PLACER UNE DIZAINE DE MICROCAMÉRAS DANS SON APPARTEMENT ET FAIRE DES DOUBLES DE TOUTES SES CLÉS.

PARFAIT... ET EN CE QUI LE CONCERNE, LUI, QUEL EST LE TABLEAU GÉNÉRAL?
PAS BRILLANT, VOUS AVIEZ RAISON.

IL EST EN TRAIN DE PLONGER MÉCHAMMENT. IL EST ACCRO AUX PIRES SALOPERIES ET JE SUIS SÛR QU'IL DEALE POUR SUBVENIR À SES BESOINS CROISSANTS.

C'EST CE QUE JE REDOUTAIS. VOS ACTIONS PONCTUELLES NE FONT QUE RETARDER LE PROBLÈME. IL FAUT LE FAIRE DÉCROCHER, DARIUS. AVANT QUE ÇA N'AILLE TROP LOIN.

AH OUI? ET COMMENT? EN LUI FAISANT LA MORALE? VOUS CROYEZ QU'IL VA ÉCOUTER SON BRAVE PIGEON DE VOISIN?
SI VOUS AVEZ UNE RECETTE POUR CE GENRE DE CAS, JE CROIS QU'ELLE INTÉRESSERAIT PLUS D'UN PARENT...

QUELQUES SEMAINES PLUS TARD...

BOM...
BOM...

BOM... IEUR ...ANAHI... BOM... BOM...

MONSIEUR PANAHI! DARIUS, JE VOUS EN PRIE!

HEATHER ...?!
OH, DARIUS! VENEZ, VENEZ VITE!

SHIT! OVERDOSE.
APPELLE LES SECOURS.

JE VOUS AVAIS DIT QU'IL FALLAIT LE FAIRE DÉCROCHER! C'ÉTAIT UN RISQUE INSENSÉ...!
KLIX

SUZANNE, ON A TOUT TENTÉ POUR LE CONVAINCRE, VOUS LE SAVEZ.

CE GENRE DE DÉCISION NE PEUT VENIR QUE DE LUI. ET...

ALORS ...?
KLIX
BIP!

IL ACCEPTE... FINALEMENT.

KLIX

HEATHER?... POURQUOI TU RESTES AVEC CE MEC? POURQUOI TU FAIS TOUT ÇA POUR LUI? IL NE FAIT QUE TE FAIRE SOUFFRIR. C'EST UN ÉGOÏSTE, UN...
UN SALAUD, JE SAIS...

MAIS PEUT-ÊTRE... VOUS CROYEZ AU POUVOIR DE L'AMOUR, DARIUS? QUE L'AMOUR PEUT CHANGER LES GENS?

JE CROIS SURTOUT QUE L'AMOUR COMPLIQUE LES CHOSES.

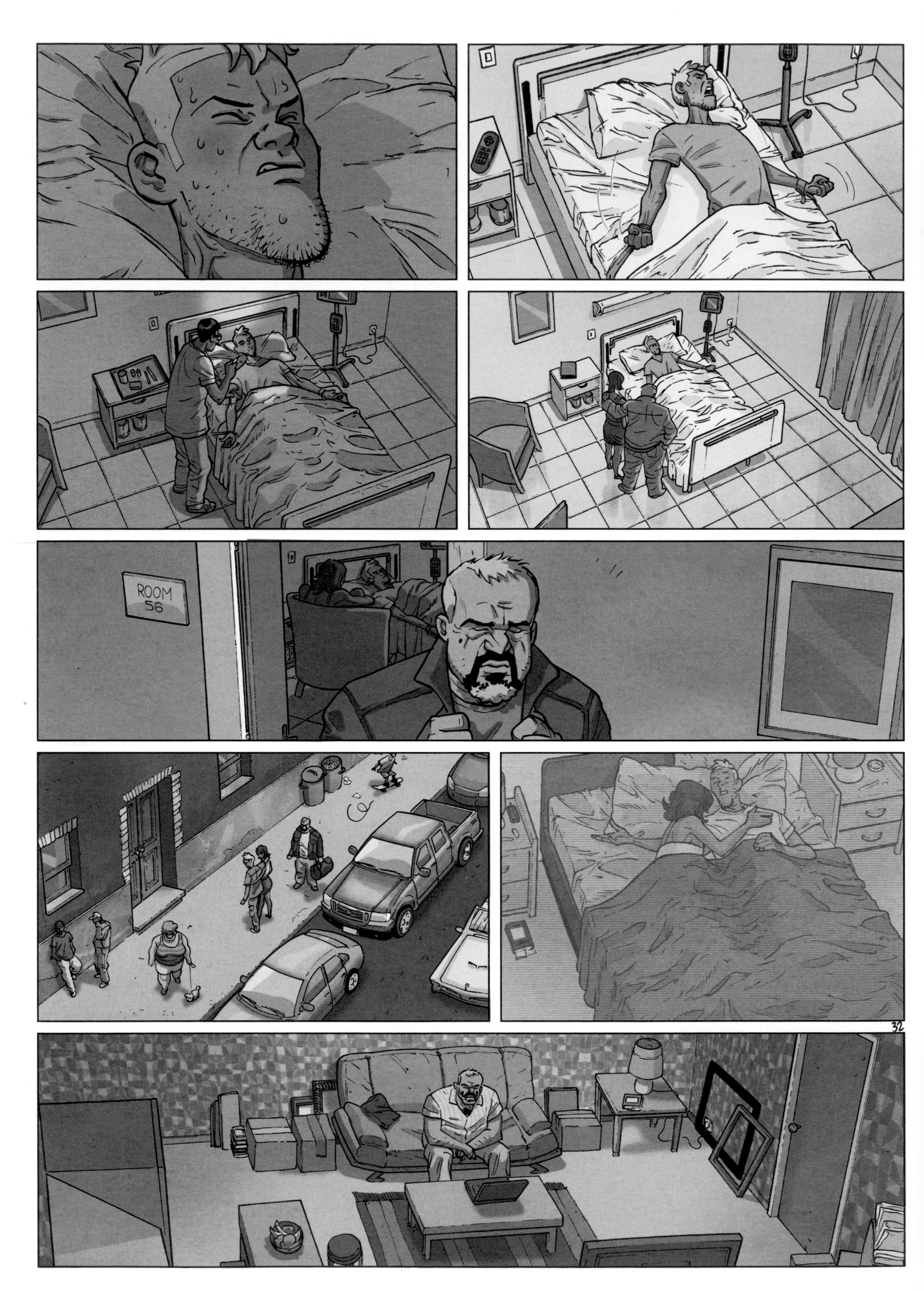
ROOM
56

...UN PROBLÈME, DARIUS?

S'IL N'Y EN AVAIT QU'UN, JE NE VOUS APPELLERAIS PAS. JE VOUS REMETS MA DÉMISSION, SUZANNE.
VOUS PLAISANTEZ !? ...

AUJOURD'HUI, J'AI FAILLI FLINGUER LE GAMIN. JE NE SUIS PLUS FIABLE. JE VAIS DEVENIR UN DANGER POUR LUI.

FOUTAISES. VOUS TRAVERSEZ UN PASSAGE À VIDE MAIS...
JE NE LE SUPPORTE PLUS, SUZANNE. C'EST UN NUISIBLE ABSOLU, UNE PLAIE POUR LA SOCIÉTÉ... JE NE PEUX IMAGINER AUCUNE RAISON QUI...

JE VOUS CONJURE DE ME FAIRE CONFIANCE, DARIUS.
POUR MA PART, J'AI PLEINE CONFIANCE EN VOUS...

...!?!
BAAAMM!
ET APRÈS DEUX ANS DE TRAVAIL D'INFILTRATION, VOUS ÊTES TROP BIEN POSITIONNÉ DANS SA VIE POUR QUE JE LAISSE PARTIR MON INVESTISSEMENT...

VOUS M'ÉCOU...?
...UNE SECONDE, SUZANNE, JE DOIS ...

L'ENFOIRÉ DE SA MÈRE...!
BAAMM!
AAAH!

...TU ME GONFLES, TU CAPTES?!
FOUS LE CAMP!

HEATHER! MAIS QUE ...?

QUI T'A FAIT ÇA?
IL... VEUT ALLER SE BATTRE...! LES FRÈRES DUKAKIS ... EMPÊCHEZ-LE...
TA GUEULE!

TU PIGES RIEN? SI JE LEUR FAIS PAS LA PEAU TOUT DE SUITE, C'EST EUX QUI ME LOUPERONT PAS, CES DULAKIS DE MES DEUX!
34

BRAM! TU... TU L'AS FRAPPÉE? ... C'EST TOI QUI LUI AS...!?
NON, ELLE S'EST FAIT ÇA TOUTE SEULE EN SE COGNANT CONTRE MA MAIN, HÉ HÉ...

PETIT CRÉTIN! TU...
HOP HOP HOP!

JE T'AIME BIEN, DARIUS. MAIS FAUT PAS SE METTRE EN TRAVERS DE MA ROUTE.

C'EST CE QUE CETTE CONNE REFUSE DE COMPRENDRE... FAUT QU'ELLE ME LÂCHE...
ELLE A QU'À SE TROUVER UN AUTRE MEC À POMPER...

...TU DÉBLOQUES COMPLÈTEMENT...! T'ES... T'ES STONE...
T'INQUIÈTE, JUSTE UN PETIT SHOOT, POUR ME DONNER DU FIGHT...!
BOM

HEATHER...!

YO, MAN!
PARAÎT QU'ON VA MANGER DE LA MOUSSAKA, CE SOIR...? HA, HA!
AH, VOILÀ MES FIDÈLES...!

TU SAIS QUOI, VIEUX? QUAND T'AURAS RÉFLÉCHI DEUX MINUTES, TU VIENDRAS ME DIRE MERCI.

N'OUBLIE PAS QUE TU LEUR AS PROMIS DE ME BUTER. S'ILS APPRENNENT QUE JE SUIS EN VIE, CES ENCULÉS DE GRECS T'AURONT DANS LE COLLIMATEUR, TOI AUSSI.

OUI... UNE JEUNE FEMME BATTUE QUI A PERDU CONNAISSANCE. POURRIEZ-VOUS ENVOYER D'URGENCE UNE AMBULANCE 1054, AVENUE SLAUSON...? ...MERCI.

MERDE POUR CE CONNARD ! QU'IL AILLE SE FAIRE BUTER ET BASTA !

ACCROCHE-TOI, HEATHER, ILS ARRIVENT. JE SUIS LÀ...
BRRR
BRRR

BRRRR
BRRRR
S. ROCHANT
SUZANNE...
!?!

DARIUS.
J'AI DE MAUVAISES NOUVELLES, SUZANNE, DÉSOLÉ ...

PRENEZ VOTRE TEMPS, DARIUS. PRENEZ SOIN D'HEATHER. JE M'OCCUPE DU RESTE.
COMMENT SAVEZ-VOUS QUE...!?

J'AI PRIS LE CONTRÔLE DE VOTRE ORDI ET J'AI TOUT VU VIA LE SYSTÈME DE SURVEILLANCE.
PUIS J'AI ACTIVÉ LE NANO-TRACEUR DE BRAM POUR LE LOCALISER PRÉCISÉMENT...

... RASSUREZ-VOUS. LA SITUATION SERA BIENTÔT SOUS CONTRÔLE.
MAIS... !?

EN CE MOMENT-MÊME, NOTRE FOUTU PROTÉGÉ ET SES AMIS TOMBENT MALENCONTREUSEMENT SUR UNE PATROUILLE DE POLICE.
CRIIISS

CONTRÔLE DE ROUTINE, MAIS AVEC CE QU'ILS TRIMBALLENT DANS LEUR BOÎTE À GANT ET DANS LEUR NEZ, ILS VONT RESTER QUELQUES JOURS AU FRAIS. SPÉCIALEMENT BRAM.

ÇA TOMBE BIEN, ÇA VOUS FERA DES VACANCES... DONT VOUS AVEZ GRAND BESOIN, JE CROIS.

JE ME DEMANDE POURQUOI VOUS AVEZ FAIT APPEL À MOI, SUZANNE. VOUS VOUS DÉBROUILLEZ TRÈS BIEN TOUTE SEULE.
CAS DE FORCE MAJEURE. EXCEPTIONNELLEMENT, J'AI FAIT JOUER CERTAINES... CONNEXIONS. J'AURAIS BEAUCOUP DE MAL À ME PASSER DE VOUS, DARIUS.

DEMAIN MATIN, VOUS RECEVREZ UN BILLET D'AVION POUR UN VOL DANS LA SOIRÉE...
JE VOUS ATTENDRAI À L'ARRIVÉE. J'ESSAYERAI DE VOUS DONNER UNE RAISON DE POURSUIVRE VOTRE MISSION...

EN FAIT, JE VOUS DONNERAI LA RAISON. APRÈS CELA, VOUS SEREZ LIBRE DE ME DONNER VOTRE DÉMISSION, SI VOUS LE SOUHAITEZ.

DEUX JOURS, PLUS TARD.
KARACHI, PAKISTAN.

AVARI
AVARI TOWE

... ET NOUS AVONS AINSI PROUVÉ LA "THÉORIE DES ÂMES SOEURS".

UN PEU FLEUR BLEUE, COMME INTITULÉ, HEIN? C'EST MOI QUI L'AI APPELÉE COMME ÇA.
AUJOURD'HUI, MES ASSOCIÉS UTILISENT PLUTÔT LE TERME "ALTER EGO"...

...MAIS J'AI GARDÉ UNE PRÉFÉRENCE POUR "ÂMES SOEURS", QUI DÉCRIT MIEUX LA RÉALITÉ DU PHÉNOMÈNE: ...

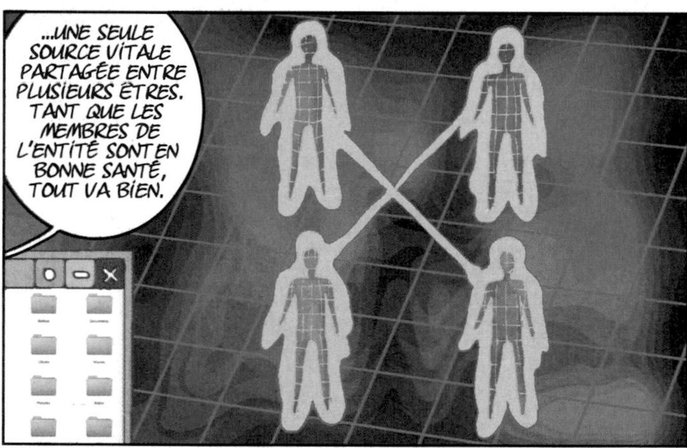
...UNE SEULE SOURCE VITALE PARTAGÉE ENTRE PLUSIEURS ÊTRES. TANT QUE LES MEMBRES DE L'ENTITÉ SONT EN BONNE SANTÉ, TOUT VA BIEN.

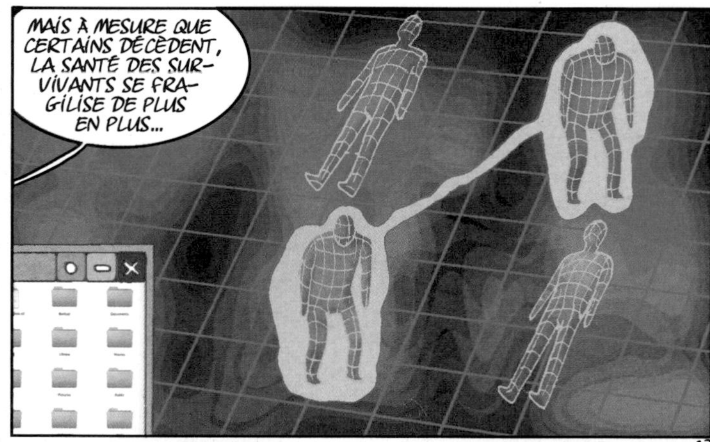
MAIS À MESURE QUE CERTAINS DÉCÈDENT, LA SANTÉ DES SURVIVANTS SE FRAGILISE DE PLUS EN PLUS...

... ATTENDEZ, QUI SERAIT CONCERNÉ? QUI POSSÉDERAIT CES "ÂMES SOEURS" ?

TOUT LE MONDE.
À L'EXCEPTION DES MONADES, BIEN ENTENDU...

AH BON? LES NOMADES ÉCHAPPENT À...

LES MO-NADES. C'EST AINSI QUE NOUS DÉSIGNONS CEUX QUI NE SONT CONNEC-TÉS À PERSONNE.
LEUR ÉNERGIE VITALE N'EST PAS PARTAGÉE.

MAIS ILS SONT ASSEZ RARES... LA PLUPART DES GENS ONT DEUX OU TROIS ÂMES SOEURS.
MAIS CELA PEUT MONTER À CINQ OU SIX, SURTOUT CHEZ DE JEUNES ENFANTS...

POUR DES VIEUX COMME NOUS, C'EST GÉNÉRALEMENT MOINS...
MOI, PAR EXEMPLE, JE NE PARTAGE PLUS MON CAPITAL BIOÉNERGÉTIQUE QU'AVEC UNE SEULE AUTRE PERSONNE, QUI EST MA DERNIÈRE ÂME SOEUR EN VIE.

QU'ELLE VIENNE À MOURIR ET JE MOURRAI, MOI AUSSI, DANS LES MOIS QUI SUIVRONT. SANS DOUTE D'UN CANCER FULGURANT, OU D'UNE RUPTURE D'ANÉVRISME INOPINÉE...

ET VICE-VERSA, BIEN ENTENDU.

ET... VOUS VOUS CONNAISSEZ? VOUS SAVEZ OÙ ELLE VIT?
MOI, JE LE CONNAIS. LUI PAS...
LUI?... C'EST UN HOMME, DONC...

OUI, C'EST UN HOMME ...

VENEZ, IL EST L'HEURE.
JE SOUHAITE VOUS EMMENER QUELQUE PART...

COMMENT POUVEZ-VOUS DÉTERMINER COMBIEN UNE PERSONNE POSSÈDE D'ÂMES SOEURS?
UN SIMPLE TEST SUFFIT.

UNE DÉTECTION AVEC UN APPAREILLAGE SPÉCIALISÉ. VOUS MÊME L'AVEZ SUBIE LORS DE VOTRE RECRUTEMENT PAR LA WINGUARD...
...QUOI, CETTE ESPÈCE DE SARCOPHAGE...? J'AI CRU QUE C'ÉTAIT UN SCANNER...!

C'EN EST UN, SI ON VEUT, MAIS D'UN TYPE TRÈS PARTICULIER. IL RENSEIGNE NON SEULEMENT LES ÂMES SOEURS ENCORE EN VIE, MAIS ÉGALEMENT CELLES QUI SONT DÉCÉDÉES...

C'EST D'AILLEURS CE TEST QUI VOUS A ÉTÉ FATAL POUR ÊTRE ENGAGÉ COMME ARCHANGE...

VOUS N'ÊTES PAS MONADE. LE PATRON DE LA WINGUARD INVESTIT TELLEMENT DANS SES ARCHANGES QU'IL VEUT MINIMISER LES RISQUES. DONC, IL NE RECRUTE QUE DES GENS DONT LA SANTÉ NE DÉPEND PAS D'ÂMES SOEURS...

AH, NOUS Y VOICI!

Gelato Affai
...NOUS ALLONS POUVOIR PASSER AUX CHOSES SÉRIEUSES.

UN DES AVANTAGES DE LA MONDIALISATION EST QU'ON TROUVE DE TRÈS BONNES GELATI, MÊME À KARACHI.

JE NE VOUDRAIS PAS VOUS FROISSER, SUZANNE, MAIS... AVEC OU SANS GLACE, J'AI UN PEU DE MAL À AVALER TOUT ÇA.

VOUS PENSEZ QUE JE SUIS UNE ILLUMINÉE ?...
NON ! NON, JE NE ME ...

DARIUS, JE SUIS DOCTEUR EN PSYCHOLOGIE, SPÉCIALISTE EN ÉTHOLOGIE, CHERCHEUSE EN PSYCHISME GÉMELLAIRE. TOUT CE QUE JE VIENS DE VOUS DIRE, AUSSI ÉNORME QUE CELA PUISSE VOUS PARAÎTRE, EST LA STRICTE VÉRITÉ SCIENTIFIQUE.

NOUS AVONS, PAR EXEMPLE, ÉTABLI QUE LES ÂMES SOEURS D'UNE MÊME ENTITÉ PARTAGENT UNE EMPREINTE GÉNÉTIQUE COMMUNE : UNE SÉQUENCE ADN QUI LES IDENTIFIE À COUP SÛR ! JE VOUS PARLE DE FAITS OBSERVABLES TRÈS CONCRETS !

CELA VA FAIRE QUINZE ANS QU'AVEC UNE ÉQUIPE MULTIDISCIPLINAIRE DE HAUT NIVEAU, NOTRE LABO TRAVAILLE LÀ-DESSUS... S'IL S'AGISSAIT D'ÉLUCUBRATIONS SCIENTIFIQUES, CROYEZ-VOUS QUE NOUS AURIONS OBTENU LES CRÉDITS NÉCESSAIRES ?
CROYEZ-VOUS QUE CELA AURAIT DONNÉ LIEU À UNE ORGANISATION AUSSI DÉMENTIELLE QUE LA WINGUARD ?

PARCE QUE C'EST ÇA, LE BUT DE LA WINGUARD ? PROTÉGER DES... ?
EXACTEMENT. NOUS DÉTECTONS, LOCALISONS ET PROTÉGEONS LES ÂMES SOEURS DE NOS CLIENTS POUR AUGMENTER LEUR ESPÉRANCE DE VIE.

AH ! ATTENTION, LES VOILÀ...

REGARDEZ DISCRÈTE-MENT...

VANILLE-CHOCOLAT POUR SAMIRA ET VANILLE-FRAISE POUR ALI...

JE N'AI AUCUN MÉRITE. C'EST LE MÊME RITUEL TOUS LES JOURS À CETTE HEURE-CI. L'HOMME S'APPELLE AZHAR. C'EST ASSEZ IRONIQUE, VOUS ALLEZ VOIR...
...!?!

MARIÉ, TROIS ENFANTS, CINQ PETITS-ENFANTS DONT ALI ET SAMIRA. BON MARI, BON PÈRE, ADORABLE GRAND-PÈRE. TRÈS INTELLIGENT AUSSI. BEAUCOUP D'IMAGINATION ...

VOUS SAVEZ CE QU'IL FAIT DANS LA VIE ? INVENTEUR. IL TRAVAILLE POUR L'INDUSTRIE DES MINES ANTI-PERSONNEL.
W.C.

LE PAKISTAN EST UN DES DERNIERS PAYS À NE PAS AVOIR SIGNÉ LA CONVENTION. NOTRE AMI AZHAR CONSACRE TOUT SON TALENT ET TOUTE SON ÉNERGIE...

...À IMAGINER DES NOUVELLES FORMES DE MINES, CAPABLES DE BLESSER SANS TUER, OU DE TUER UN HOMME SANS DÉTRUIRE SES ARMES OU SON VÉHICULE.

C'EST UN GÉNIE. IL DOIT AVOIR DES MILLIERS D'AMPUTÉS À SON ACTIF. IL GAGNE D'AILLEURS TRÈS BIEN SA VIE...

VOUS N'ÊTES PAS MONADE. VOUS FAITES PARTIE D'UNE DUADE. UNE DUADE INTÈGRE...

INTÈGRE?
VOUS N'AVEZ JAMAIS EU QU'UNE SEULE ÂME SOEUR ET ELLE EST EN VIE. CELA EXPLIQUE SANS DOUTE VOTRE FORME EXCEPTIONNELLE.

PARDONNEZ-MOI, DARIUS.
J'AI FAIT RECHERCHER VOTRE ÂME SOEUR ET JE VOUS AI FAIT VENIR ICI, À KARACHI, POUR CETTE UNIQUE RAISON. PARCE QUE JE VOULAIS VOUS FAIRE UN CADEAU ...
VOUS OFFRIR LA RÉPONSE À LA QUESTION QUE CHACUN SE POSE QUAND IL APPREND LA VÉRITÉ : QUI EST MON ÂME SOEUR...?
MAIS MON CADEAU S'EST AVÉRÉ EMPOISONNÉ...
JE SUIS DÉSOLÉE.
SUZANNE, J'AI PAS BIEN ASSIMILÉ TOUT VOTRE EXPOSÉ. JE NE SUIS PAS ENCORE SÛR D'Y CROIRE...
JE VOUS COMPRENDS... C'EST PLUTÔT UNE PREUVE DE SANTÉ MENTALE.
... MAIS, À SUPPOSER QUE TOUT CELA SOIT VRAI, NE MINIMISEZ PAS VOTRE CADEAU.
VOUS VENEZ DE M'ANNONCER QU'EN MOURANT, J'ENTRAÎNERAI CETTE ORDURE AVEC MOI DANS LA TOMBE, NON?
...OUI...
EH BIEN, ÇA COMMENCE À ME PLAIRE, VOTRE TRUC.
JE N'AI JAMAIS EU TRÈS PEUR DE LA MORT, MAIS LÀ, JE CROIS QUE ÇA NE VA PAS S'ARRANGER.
ET C'EST TANT MIEUX. PARCE QUE POUR PROTÉGER CE PETIT MERDEUX DE BRAM, IL FAUT PARFOIS PRENDRE DES RISQUES ...
VOUS AVEZ GAGNÉ, SUZANNE. JE RENONCE À DÉMISSIONNER.

JE VAIS VOUS DIRE, SUZANNE ...

VOUS ME PAYEZ DEPUIS DES MOIS POUR ASSURER LA PROTECTION ET LE BIEN-ÊTRE DE BRAM ET YASHNA.
MAIS EN RÉALITÉ, DE LA SORTE, JE PROTÈGE UNE TROISIÈME PERSONNE ...

J'ALLAIS Y VENIR, DARIUS.
UNE PERSONNE QUI VOUS EST CHÈRE...

HEM...
JE N'AI PAS DE PHOTO RÉCENTE D'ELLE, MAIS ...

MA FILLE.

CAMILLE. JE N'AI QU'ELLE.

VOILÀ DONC, L'ÂME SOEUR DE BRAM ET DE YASHNA...
EXACTEMENT. ET PUISQUE NOUS EN SOMMES LÀ, JE VAIS VOUS CONFIER AUTRE CHOSE...

MA FILLE NE SAIT RIEN DE MES RÉELLES ACTIVITÉS. MÊME AVEC ELLE, J'AI DÛ GARDER LE SECRET. MAIS UN JOUR, LORSQUE NOUS SERONS À MÊME DE GÉRER LA SITUATION ET D'ÉVITER LE CHAOS, LA VÉRITÉ SERA RÉVÉLÉE AU MONDE ENTIER.

TOUT CE QUE JE VOUS AI RÉVÉLÉ AUJOURD'HUI - ET BIEN PLUS ENCORE - EST ENREGISTRÉ SUR CETTE CARTE. METTEZ-LA EN LIEU SÛR... ET SI PAR MALHEUR, JE VENAIS À DISPARAÎTRE, ARRANGEZ-VOUS POUR LA FAIRE PARVENIR À CAMILLE.

CE JOUR-LÀ, JE NE VEUX PAS QU'ELLE SE FASSE UNE FAUSSE IDÉE DE MOI. JE VEUX QU'ELLE ENTENDE TOUT DE MA BOUCHE, MÊME SI JE NE SUIS PLUS LÀ...

...MAIS ...
J'AI CONFIANCE EN VOUS, DARIUS...

...IL ME SEMBLE MÊME QU'IL N'Y A PLUS QU'EN VOUS QUE JE PUISSE ENCORE AVOIR CONFIANCE.

SUZANNE, EST-CE QUE VOUS CRAIGNEZ POUR VOTRE VIE... ?
BIDIBIP !
NON, NON, PAS SPÉCIALEMENT MAIS...

...EXCUSEZ-MOI, JE DOIS...

OUI, KAIJI ? ...UN PEU, OUI...
COMMENT ÇA, URGENT !?... QUI ÇA ?... JE NE COMPRENDS PAS ...

D'ACCORD, CALME-TOI, KAÏJI... WASHINGTON ? MAIS JE SUIS À KARACHI ! TU TE RENDS COMPTE DU ...?!
...O.K., O.K. ! DEMANDE AU BUREAU DE ME BOOKER LE PROCHAIN VOL ET QU'ILS ME TIENNENT AU COURANT.

SI VOUS SAVIEZ COMME JE SUIS LASSE DE TOUT CELA, DARIUS !

...VOUS N'IMAGINEZ PAS LES DILEMMES ÉTHIQUES QUE J'AI EU À TRANCHER, LES COMPROMISSIONS QUE J'AI DÛ FAIRE.
RIEN QUE CETTE IDÉE DE SURVEILLER DES PERSONNES À LEUR INSU, CE FUT UN CALVAIRE DE M'Y RÉSOUDRE. MÊME SI C'EST POUR LEUR BIEN, ÇA RESTE UNE INTRUSION INTOLÉRABLE DANS LA VIE PRIVÉE.

POUR TOUT VOUS DIRE, AU DÉBUT, J'AI REFUSÉ TOUTE RECHERCHE D'ÂME SOEUR POUR MON PROPRE COMPTE. JE VOULAIS VIVRE DANS L'INNOCENCE, SANS CONNAÎTRE CE QUE LE DESTIN ME RÉSERVAIT ...
MAIS VOUS AVEZ CRAQUÉ...

OUI. POUR CAMILLE...

SI ON CONSIDÈRE LA PROPORTION DE GENS QUI, SUR CETTE PLANÈTE, VIVENT DANS LA PRÉCARITÉ, LA GUERRE, LE SOUS-DÉVELOPPEMENT... LA PROBABILITÉ QUE VOS ÂMES SOEURS EN FASSENT PARTIE EST ÉNORME.

UN JOUR, SOUS COUVERT D'UNE EXPÉRIENCE DE ROUTINE, J'AI FAIT DÉTECTER CELLES DE CAMILLE, À SON INSU. ET QUAND J'AI VU À QUI ELLE ÉTAIT CONNECTÉE, J'AI...
... FAIT APPEL À MOI.

COMMENT SUPPORTER L'IDÉE DE VOIR SA FILLE EMPORTÉE PAR UN CANCER QUE L'ON AURAIT PU EMPÊCHER ?

CONNAISSEZ-VOUS MON HISTOIRE, SUZANNE ?...

JE NE L'AI APPRISE QU'APRÈS VOUS AVOIR CHOISI. ET J'AI COMPRIS POURQUOI LE DESTIN M'AVAIT GUIDÉE JUSQU'À VOUS.
PARCE QUE, À PROPOS DE CAMILLE...

JE NE SAIS PAS QUI EST SON PÈRE. ELLE N'EN A JAMAIS EU.

VENEZ ! IL NOUS RESTE QUELQUES HEURES AVANT CE FICHU AVION POUR WASHINGTON...

47

VOUS ALLEZ NOUS PAYER UN WHISKY, DARIUS ! ET PEUT-ÊTRE MÊME DEUX...

VINGT JOURS PLUS TARD.
N'AIE PAS DE REGRET, HEATHER... TU AURAIS DÛ LE FAIRE DEPUIS LONGTEMPS...

C'EST DIFFICILE DE FAIRE UNE CROIX SUR CE QUE L'ON CROYAIT JUSTE.
JE SAIS.
POUR MA PART, J'AI DÉCIDÉ DE NE PLUS ME POSER LA QUESTION...

ET DE FAIRE CONFIANCE À L'INSTINCT ...TU PARS LOIN D'ICI?
PASADENA. JE VAIS REJOINDRE UNE AMIE.

TENEZ, C'EST POUR BRAM.
...OK ...

VOUS ALLEZ VRAIMENT PAYER SA CAUTION...?
FAUDRA BIEN...
MAIS POURQUOI ? RIEN NE VOUS Y OBLIGE...

C'EST MON KARMA, PROBABLEMENT... PROTÉGER CELUI QUI NE LE MÉRITE PAS POUR N'AVOIR PAS PU PROTÉGER CEUX QUI L'AURAIENT MÉRITÉ MILLE FOIS.

VOUS ÊTES UN DRÔLE DE BONHOMME, DARIUS. AVEC UNE DRÔLE DE VIE...
PRENDS BIEN SOIN DE TOI.

ADIEU...
SMACK!

...APRÈS LE SIGNAL, MERCI!
BIIIP
OUI, SUZANNE, C'EST ENCORE MOI. J'AURAIS VRAIMENT AIMÉ VOUS PARLER. JE SUPPOSE QUE VOUS ÊTES DÉBORDÉE. POUR INFO: JE LE FAIS SORTIR AUJOURD'HUI.

LOS ANGELES POLICE DEPARTMENT, PEU APRÈS...
TROIS SEMAINES, DARIUS ! TU M'AS LAISSÉ POURRIR ICI PLUS DE TROIS PUTAINS DE SEMAINES !

J'AI CRU QUE J'ALLAIS PASSER MON ANNIV' EN TAULE ! CASEY ET RAIMUNDO SONT SORTIS DEPUIS LONGTEMPS. LEURS PARENTS ONT RAQUÉ DIRECT.
J'AI FAIT CE QUE J'AI PU, IL M'A FALLU DU TEMPS POUR RÉUNIR LA SOMME...

C'EST VRAI. EXCUSE-MOI. JE SUIS INGRAT, PAPA.

JE NE SUIS PAS TON PÈRE...
TWIT !

TIENS...

AH, HEATHER ...
TU SAIS, J'AI FAIT COMME TU M'AS DIT, DARIUS, J'AI PROFITÉ DE CES TROIS SEMAINES À L'OMBRE POUR COGITER. JE VAIS METTRE DE L'ORDRE DANS MA VIE.

HOP!

VOILÀ UNE PREMIÈRE BONNE CHOSE DE FAITE.
Bram

DEMAIN, J'AI VINGT ANS. CE SERA UN NOUVEAU DÉPART!

POP!
YOU HOU! YEAH!!!

À MA NOUVELLE VIE!
VAS-Y, MAN, ALLUME-MOI CES JOINTS!
HA, HA!

... HAPPY BIRTHDAY FUCK YOU!
HAPPY BIRTHDAY FUCK YOUHOU!
HA, HA!
YEEEHEEEE!

CLAP CLAP CLAP
HA HA HA

HAPPY FUCK DAY, MAN!

BONSOIR, MISS. VOUS... VOUS CHERCHEZ QUELQU'UN?
HEU... C'EST BIEN L'APPARTEMENT DE BRAM MANGOLD?

PARFAITEMENT, SOYEZ LA BIENVENUE. JE SUIS LE VOISIN DE PALIER, BRAM EST LÀ-BAS.
ET C'EST... UN ANNIVERSAIRE?
BEN OUI, LE SIEN. IL A VINGT ANS AUJOURD'HUI, VOUS N'ÉTIEZ PAS AU COURANT?

HOLÀ! BONSOIR... QUI ÊTES-VOUS DONC, BELLE INCONNUE?

VOUS ÊTES MON CADEAU SURPRISE? ON A OUBLIÉ DE VOUS METTRE DANS LE GÂTEAU?

LAISSEZ-MOI!

HOULÀ! C'EST QU'ELLE A DU CARACTÈRE, LA TIGRESSE!

VENEZ, TRÈS CHÈRE, JE SENS QUE NOUS ALLONS BIEN NOUS ENTENDRE!
HÉÉÉ!
BRAM, ÇA SUFFIT! LÂCHE-LA!

BON, IL EST OÙ, CE COLIS?
HÉ, BRAM, T'EN VEUX?
O.K., O.K., T'ÉNERVE PAS, PAPA... 'SCUSE-MOI...

HÉ LÀ! TOUCHEZ PAS À ÇA, BANDE DE CLOPORTES, C'EST MON GÂTEAU!
VENEZ...

TIENS, TON CADEAU.
QU'EST-CE QUE C'EST?
BEN OUVRE!

WOUAW! PUTAIN! IL DÉCHIRE!
IL VIENT D'OÙ?
LE CHINOIS.

BANG !

!?!
PAW!

YEAH!
HA HA HA HA
IL EST CHARGÉ ?!

C'EST QUOI CES CONNERIES ?!

À PEINE SORTI DE TAULE, TU VEUX Y RETOURNER, C'EST ÇA ?!
C'EST RIEN... JE TESTE JUSTE LE FLINGUE QU'ILS M'ONT OFFERT...

FAUDRAIT VOIR À NE PAS ME PRENDRE POUR UN CON, AUSSI.

ON NE FAIT QUE S'AMUSER, DARIUS...
T'AS JAMAIS ÉTÉ JEUNE, MEC ?
PAS AVEC UNE ARME ...

...DÉSOLÉ...
LA COMMUNICATION... TRÈS MAUVAISE... RIEN ENTENDU...

...MAIS EN TOUT CAS, C'EST INCROYABLE COMME TU RESSEMBLES À TA MÈRE.

AU REVOIR, CAMILLE.

BIP

TU ES CAMILLE?
P... PAR-DONNEZ-MOI, JE ME SUIS PERMIS, JE DEV...
TU ES CAMILLE, LA FILLE DE SUZANNE ROCHANT?

OUI...

C'EST VRAI QUE TU LUI RESSEMBLES...
ELLE VA BIEN?

HEU... VOUS NE SAVEZ PAS?...
ELLE EST MORTE DANS UN INCENDIE...
...IL Y A BIENTÔT TROIS SEMAINES.

NON!?
MON DIEU... JE...

JE ME DEMANDAIS JUSTEMENT POURQUOI ELLE ÉTAIT INJOIGNABLE...

VOUS... VOUS ÊTES L'ANGE ?

...OUI.

!?
BIDIP!

LA SUITE DE TON CADEAU, BRAM!

LE FLINGUE, C'ÉTAIT LA PREMIÈRE PARTIE...
LA DEUXIÈME, C'EST SEAL QUI VIENT DE L'ENVOYER.
LES DUKAKIS ...

... ILS SE TROUVENT CHEZ UN VIEIL ONCLE, À CINQ BLOCS D'ICI. ILS SONT SEULS. ON VA LES CUEILLIR À LEUR SORTIE.

TROP BON! MAIS LE VIEUX A PRIS MON FLINGUE...
PRENDS LE MIEN! J'EN AI UN AUTRE DANS LA VOITURE.

HO, PAPA, QU'EST-CE QUE TU FRICOTES AVEC CETTE FILLE?
HI, HI!
TU TE LA GARDES POUR TOI TOUT SEUL, VIEUX PERVERS?

BAM BAM
FOUS-MOI LA PAIX, BRAM, O.K.?
ALLEZ, RAMÈNE-TOI!
ATTENDS ...

ON VIENT D'AVOIR UNE IDÉE D'ENFER POUR MON ANNIVERSAIRE... ON VA FAIRE LA FÊTE AUX DUKAKIS!
COME ON, PAPITO!

MAIS T'INQUIÈTE, ON LEUR FERA PAS DE CADEAU! HA HA!
ON VA LES ATOMISER!

VROOOOAAM

YEEEEAAAAHH !!
VROOOO...

SCRR
iiiii

VRKP.
VRRR

ILS SORTENT, PUTAIN ! ILS SE BARRENT DÉJÀ ! OÙ ÊTES-VOUS ?
PAS LOIN. ON ARRIVE.

ON VA TOMBER PILE DESSUS.

MAKE MY DAY !

SCREEEE

PAW!

!?!

PAW!
PAW!
PAW!

CLANG!
PAW!
PAW!

AAARGH....!
TCHAC!

PAW!
PAW!

CRASH
CLANG!
PAW!
PAW!

PAW!
PAW!
PAW!
PAW!

EEEEH...!
CRASH!
CRASH
CLANG
CLANG
CLANG
CLANG

RAY? ÇA VA!?...

NE BOUGE PAS DE CETTE BAGNOLE!
CLANG!
PAW!
PAW!

ON DÉGAGE!

PUTAIN, NON! C'EST LE MOMENT D'EN FINIR AVEC CES ORDURES!
C'EST UN ORDRE!

FUMIERS! MACAQUES! DÉBILES MENTAUX!
PAW!
PAW!
PAW!
BRAM! ARRÊTE DE DÉCONNER, BORDEL!
AARRH
NIKKI!

TUNK

NIKKI ! NOOOOOONNN !

DARIUS !
MONTE ! MONTE !
HEIN... QUE...?

BOUGE-TOI OU TU MEURS AVEC LUI !

NON.

LÂCHE TON ARME ...
PLUS PERSONNE NE TIRE.

CE TYPE NE MÉRITE PAS DE MOURIR, MAIS IL VA TIRER. SUR MOI, PUIS SUR BRAM...
ET ENSUITE SUR CAMILLE ?
JE DOIS TIRER.
SUZANNE, JE VAIS TIRER LE PREMIER. JE VAIS TUER CET HOMME, PARCE QUE JE CROIS EN TA DÉCOUVERTE. PARCE QUE JE T'AI PROMIS DE VEILLER SUR TA FILLE.
JE VAIS TIRER PARCE QUE MA VIE NE VAUT RIEN.
À TOUT DE SUITE, SUZANNE...

Pourquoi Suzanne
est-elle morte ?
Accident ? Meurtre ?
Suicide ?

La clé de l'énigme
vous attend dans

JONAS

Suzanne se doute-t-elle
à quel point sa découverte
a déjà bouleversé l'existence
de certaines personnes ?

Vous en prendrez
conscience en lisant

PARK

Comment Camille est-elle
parvenue jusqu'à Darius ?
Que connaît-elle des
secrets de sa mère ?

Vous le saurez
en lisant

CAMILLE

Pourquoi Suzanne
est-elle appelée en
urgence à Washington ?
Quelle découverte
stupéfiante l'attend
là-bas ?

Pour l'apprendre,
faites connaissance avec

NOAH

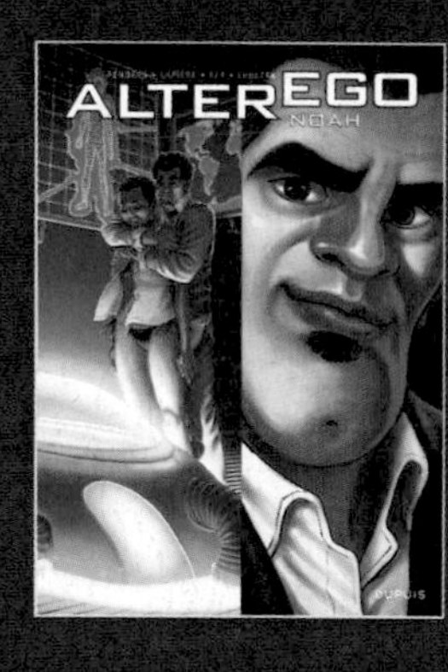

Et si la Winguard n'était
qu'un petit rouage
dans une énorme
machination ?

Suivez les traces de

FOUAD

Une série créée par
PIERRE-PAUL RENDERS

Scénario
DENIS LAPIÈRE & PIERRE-PAUL RENDERS

Direction artistique (personnages, storyboards)
MATHIEU REYNÈS

Dessin des personnages
EFA

Dessin des décors
LUCA ERBETTA
AVEC L'AIDE DE MARCO PASCHETTA

Couleurs
ALBERTINE RALENTI
AVEC L'AIDE DE SÉBASTIEN HOMBEL

Couverture
MATHIEU REYNÈS
SUR UN DESSIN DE EFA ET LUCA ERBETTA

Graphisme de couverture, logotype
FRANCK ACHARD

Merci aux premiers lecteurs des états embryonnaires d'Alter Ego. Tels de bonnes fées penchées sur son berceau, ils ont insufflé vie à ce projet par leur enthousiasme et leurs conseils : • les fêlés ludiques de l'ex-115 : Pierre Lognay – première oreille de cette idée voici près de 5 ans –, Jean Lognay, Tom Venegoni et Abdel El Asri. • Le sagace Philippe Blasband, le sage Sébastien Gnaedig, ainsi que le pertinent Laurent Nègre et ses lecteurs-tests helvètes Jean-Marc Duperrex, Julien Sulser et David Leroy. • Mais aussi David Dufaux, Eric Lacroix, F-M van der Rest, Julien Melebeke et d'autres que j'oublie probablement… • Spécial obrigado beau-fraternel à Marco Lobato, expert en insultes angolaises sur l'album "Camille" PIERRE-PAUL Cet album est mon 99e édité. Un merci tout spécial à mes parents qui m'ont toujours soutenu, surtout à mes débuts. Sans eux, jamais je n'en serais arrivé là. DENIS Un grand merci à Olivier Jouvray. EFA Merci à Marco Paschetta. Ton aide a été indispensable. À toute l'équipe Dupuis et aux copains du « Studio Alter Ego » : merci de m'avoir donné la possibilité de participer à cette merveilleuse aventure. LUCA

WWW.ALTEREGO.DUPUIS.COM

Dépôt légal : juin 2011 – D.2011/0089/131
ISBN 978-2-8001-4881-6

Imprimé en Belgique.
Cet album a été imprimé sur papier issu de forêts gérées de manière durable et équitable.

www.dupuis.com